cocina mexicana

UNA SELECCIÓN DE LAS MEJORES RECETAS TRADICIONALES

MARLENA SPIELER

p

Sopas y entrantes

Gazpacho picante

Al añadirle guindilla y cilantro fresco, este plato típico español adquiere el inconfundible toque mexicano. Sírvalo con pan como entrante de cualquier comida.

para 4-6 personas

1 pepino
2 pimientos verdes
6 tomates maduros
½ guindilla picante fresca
½-1 cebolla picada fina
3-4 dientes de ajo majados
4 cucharadas de aceite de oliva virgen
¼-½ cucharadita de comino molido
2-4 cucharaditas de vinagre de jerez
4 cucharadas de cilantro fresco picado
2 cucharadas de perejil fresco picado
300 ml de caldo de verduras o de pollo
600 ml de zumo de tomate o de *passata*
sal y pimienta
cubitos de hielo
panecillos, para acompañar

Preparación

❶ Corte el pepino por la mitad a lo largo, y divida en dos cada mitad. Despepítelo y corte la pulpa en dados. Parta los pimientos por la mitad, vacíelos, despepítelos y córtelos en cuadraditos. Parta los tomates por la mitad, despepítelos (opcional) y trocéelos. (Si prefiere pelarlos, escáldelos durante 30 segundos, escúrralos y sumérjalos en agua fría. Así, la piel se separará con facilidad.) Despepite y pique la guindilla.

❷ Mezcle en un cuenco la mitad del pepino, del pimiento, del tomate y de la cebolla. Póngalos en un robot de cocina junto con la guindilla, el ajo, el aceite, el comino, el vinagre, el cilantro y el perejil. Triture los ingredientes y vaya añadiendo caldo poco a poco, hasta formar un puré.

❸ Vierta el gazpacho en una sopera. Incorpore, removiendo, el caldo restante y el zumo de tomate. Añada el resto del pepino, del pimiento, del tomate y de la cebolla. Remueva bien. Salpimente, tape la sopera y refrigere en la nevera varias horas.

❹ Ponga unos cuantos cubitos de hielo en cada plato antes de servir el gazpacho. Acompáñelo con pan.

Variación

Prepare los cubitos con zumo de tomate para que el plato resulte aún más sabroso.

Sopa de verdura y carne

Esta exquisita sopa es perfecta para entrar en calor en los fríos días de invierno. El sabor a ternera, potenciado por las especias, resulta de lo más reconfortante.

para 4-6 personas

225 g de tomates
2 mazorcas de maíz
1 zanahoria en rodajas finas
1 cebolla picada
1-2 patatas mantecosas pequeñas, en dados
¼ de repollo en tiras finas
1 litro de caldo o sopa de ternera
¼ de cucharadita de comino molido
¼ de cucharadita de guindilla molida suave
¼ de cucharadita de pimentón
225 g de ternera cocida, en dados
3-4 cucharadas de cilantro fresco picado (opcional)
salsa picante, p. ej. salsa de jalapeños (*véase* pág 24), para acompañar

Preparación

❶ Para pelar los tomates, escáldelos unos 30 segundos, escúrralos y sumérjalos en agua fría. De esta manera, la piel se separará con facilidad. Trocéelos.

❷ Con un cuchillo grande, parta las mazorcas en trozos de 2,5 cm de grosor. Coloque el tomate, la zanahoria, la cebolla, la patata, el repollo y el caldo en una olla grande. Lleve la mezcla a ebullición, baje el fuego y cueza a fuego lento entre 10 y 15 minutos, o hasta que las verduras estén tiernas.

❸ Añada el maíz, el comino, la guindilla molida, el pimentón y la carne. Deje que el caldo recupere el hervor a fuego medio.

❹ Vierta la sopa en platos hondos y esparza cilantro por encima (opcional). Sirva la salsa en un recipiente aparte.

Sugerencia

Para espesar la sopa y añadirle el sabor del tamal (una especie de empanada de maíz cocida al vapor), agréguele unas cucharadas de masa harina (harina integral de maíz) mezcladas con un poco de agua en el paso 3. Remueva bien y deje cocer la sopa hasta que se espese.

Sopa mexicana de verduras con nachos

Los nachos hacen las veces de picatostes en esta consistente sopa de verduras, muy apreciada en todo México. Puede añadirle queso para fundir.

para 4-6 personas

2 cucharadas de aceite de oliva virgen o vegetal
1 cebolla picada fina
4 dientes de ajo majados
¼-½ cucharadita de comino molido
2-3 cucharaditas de guindilla molida suave, p. ej. chile ancho o Nuevo México
1 zanahoria en rodajas
1 patata mantecosa en dados
350 g de tomate fresco o en conserva, en dados
1 calabacín en dados
¼ de repollo pequeño en tiras
1 litro de caldo de verduras o de pollo
los granos de 1 mazorca de maíz, o bien 4 cucharadas de granos de maíz en lata
unas 10 judías verdes o pintas, troceadas
sal y pimienta
4-6 cucharadas de cilantro fresco picado

Para acompañar

una salsa de su elección o guindilla fresca picada, a su gusto
nachos

Preparación

❶ Caliente el aceite en una sartén honda o en una cazuela. Saltee la cebolla y el ajo unos minutos, hasta que se ablanden. Añada el comino y la guindilla. Incorpore la zanahoria, la patata, el tomate, el calabacín y el repollo. Rehóguelo todo 2 minutos, removiendo de vez en cuando.

❷ Vierta el caldo. Tape el recipiente y cueza a fuego medio de 10 a 15 minutos, o hasta que las verduras estén tiernas. Añada más caldo si fuera necesario e incorpore el maíz y las judías. Remueva y siga cociendo entre 5 y 10 minutos más, o hasta que las judías estén tiernas. Salpimente a su gusto, teniendo en cuenta que los nachos pueden ser salados.

❸ Sirva la sopa en boles y esparza cilantro por encima. Añada un poco de salsa y unos cuantos nachos en cada bol.

Quesadillas de fríjoles

Este entrante se prepara rellenando las tortillas de trigo con una exquisita mezcla de fríjoles refritos, queso para fundir, cilantro fresco y salsa.

para 4-6 personas

8 tortillas de trigo
aceite vegetal, para engrasar
fríjoles refritos (*véase* pág. 34; preparar sólo la mitad de cantidad) recalentados con un poco de agua
200 g de queso cheddar rallado
1 cebolla, picada
½ manojo de cilantro fresco picado y unas ramitas más para adornar (opcional)
salsa cruda (*véase* pág. 24)

Preparación

❶ Para que las tortillas se ablanden y se puedan enrollar, caliéntelas suavemente en una sartén antiadherente untada con un poco de aceite.

❷ Retire las tortillas de la sartén y recúbralas enseguida con una capa de fríjoles refritos. Añada una capa de queso rallado, cebolla y cilantro, y una cucharada de salsa. Enróllelas firmemente, para que no se abran.

❸ Justo antes de servirlas, caliente la sartén antiadherente a fuego medio y rocíela con una o dos gotas de agua. Incorpore las quesadillas, tape la sartén y caliéntelas hasta que el queso se funda. Si lo desea, deje que se doren un poco.

❹ Retire las quesadillas de la sartén y pártalas diagonalmente en 4 trozos. Sirva el plato enseguida adornado con unas ramitas de cilantro.

Variaciones

*Si prefiere un relleno más ligero, sustituya los fríjoles refritos por ramitos de brécol poco cocidos o por rodajas de setas silvestres salteadas. También puede sustituir los fríjoles refritos por habichuelas negras cocidas y escurridas. Para cambiar de sabor, utilice salsa de piña fresca (*véase *pág. 30) en vez de salsa cruda.*

Nachos con habichuelas

Este sabroso entrante de habichuelas con queso, repleto de sabores mexicanos, es una buena manera de empezar cualquier comida. Además, podrá prepararlo en cuestión de minutos si utiliza habichuelas en conserva.

para 4 personas

225 g de habichuelas negras secas, remojadas; o envasadas, escurridas
175-225 g de queso rallado, p. ej. cheddar, fontina, pecorino o asiago, o una mezcla de éstos
alrededor de ¼ de cucharadita de semillas de comino o de comino molido
unas 4 cucharadas de crema agria
chiles jalapeños encurtidos, en rodajitas finas (opcional)
1 cucharada de cilantro fresco picado
un manojo de lechuga en tiras
nachos, para acompañar

Preparación

❶ Si utiliza habichuelas secas, una vez remojadas colóquelas en un cazo, vierta agua sin sal hasta cubrirlas y lleve a ebullición. Hierva 10 minutos, baje el fuego al mínimo y cuézalas, tapadas, durante 1 hora y media, o hasta que estén tiernas. Escúrralas bien.

❷ Precaliente el horno a 190 °C. Mientras, ponga las habichuelas en una fuente para el horno poco profunda, esparza el queso por encima y sazone a su gusto con comino.

❸ Hornee entre 10 y 15 minutos, o hasta que las habichuelas estén bien cocidas y el queso se haya fundido y borbotee.

❹ Retire la fuente del horno y añada la crema agria a cucharadas. Agregue el chile jalapeño (opcional) y esparza por encima el cilantro y las tiras lechuga.

❺ Disponga los nachos decorativamente sobre el lecho de habichuelas y queso. Sirva el palto enseguida.

Variación

Trocee y dore una porción de chorizo y colóquela sobre las habichuelas antes de añadir el queso y hornear: el resultado es excelente. También puede sustituir el chorizo por sobras de carne cocida, picada fina.

Sincronizadas

Las sincronizadas vienen a ser como un sándwich de jamón y queso, pero con el exquisito toque mexicano. Para conseguir un aperitivo perfecto, sírvalas con salsa picante y cerveza mexicana.

para 6 personas

aceite vegetal, para engrasar
unas 10 tortillas de trigo
unos 500 g de queso rallado
225 g de jamón cocido, en dados
una salsa de su elección
crema agria con hierbas frescas picadas, para acompañar

Preparación

❶ Unte una sartén antiadherente con un poco de aceite. Ponga en ella una tortilla, una capa de queso y otra de jamón. Unte otra tortilla con abundante salsa y colóquela boca abajo sobre la primera.

❷ Ponga la sartén a fuego medio y tueste la sincronizada hasta que el queso se funda y la tortilla de debajo se dore.

❸ Coloque un plato, boca abajo, sobre la sartén. Póngase las manoplas, sujete el plato y dele la vuelta a la sartén, de tal modo que la sincronizada se quede en el plato.

❹ Deslícela nuevamente a la sartén y siga tostándola hasta que se dore también por la otra cara.

❺ Retírela de la sartén y córtela en triángulos. Sírvala acompañada de crema agria con hierbas frescas. Repita el proceso con los ingredientes restantes.

Variaciones

Para preparar sincronizadas vegetarianas, sustituya el jamón por 225 g de champiñones. Córtelos en láminas finas y saltéelos en un poco de aceite de oliva junto con un diente de ajo majado. Otra opción: maje un diente de ajo, fríalo rápidamente en un poco de aceite, añada unas hojas de espinaca lavadas y saltéelas hasta que se arruguen. Trocéelas y úselas en lugar del jamón.

Quesadillas de chorizo y alcachofa

Estos canapés, perfectos para acompañar un cóctel, son muy fáciles de preparar: coloque los ingredientes elegidos sobre una tortilla, gratínela al horno y sírvala cortada en triángulos.

para 4-6 personas

1 chorizo
1 guindilla verde fresca, grande y poco picante; o 1 pimiento verde (opcional)
8-10 corazones de alcachofa marinados o en conserva, escurridos y cortados en dados
4 tortillas de maíz tiernas, tibias
2 dientes de ajo majados
350 g de queso cheddar rallado
1 tomate en dados
2 cebolletas en rodajitas finas
1 cucharada de cilantro fresco picado

Preparación

❶ Precaliente el gratinador a temperatura media. Corte el chorizo en dados. Caliente una sartén grande, incorpore el chorizo y fríalo un poco.

❷ Si utiliza guindilla, ásela 10 minutos, o hasta que la piel esté chamuscada y la pulpa tierna. Introdúzcala en una bolsa de polietileno, ciérrela herméticamente y déjela en reposo 20 minutos, de esta manera será más fácil pelarla. Con un cuchillo afilado, retire la piel, despepítela y trocee la pulpa.

❸ Disponga el chorizo y la alcachofa sobre las tortillas. Coloque la mitad de las tortillas en la bandeja de gratinar.

❹ Esparza por encima la mitad del ajo, y a continuación añada la mitad del queso. Coloque la bandeja en el horno y gratine hasta que el queso se funda y borbotee. Repita este proceso con el resto de las tortillas. Una vez gratinadas todas las tortillas, añádales el tomate, la cebolleta, la guindilla (si usa) y el cilantro. Córtelas en triángulos y sírvalas enseguida.

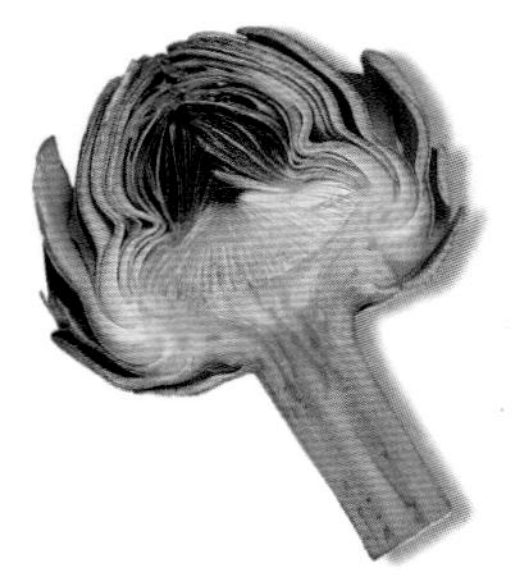

Dos salsas clásicas

La comida mexicana siempre se sirve con salsa. Estas dos recetas tradicionales son ideales para condimentar cualquier plato, desde tortillas hasta carnes. Aportan ese sabor intenso y picante que constituye la esencia de la cocina mexicana.

para 4-6 personas

Salsa de jalapeños

1 cebolla picada fina

2-3 dientes de ajo majados

4-6 cucharadas de chile jalapeño encurtido, picado grueso

el zumo de ½ limón

alrededor de ¼ de cucharadita de comino molido

sal

Salsa cruda

6-8 tomates maduros, picados finos

unos 100 ml de zumo de tomate

3-4 dientes de ajo majados

½-1 manojo de cilantro fresco, picado grueso

una pizca de azúcar

3-4 guindillas verdes frescas, p. ej. chiles jalapeños o serranos, despepitadas y picadas finas

½-1 cucharadita de comino molido

3-4 cebolletas picadas finas

sal

Preparación

❶ Para elaborar la salsa de jalapeños, coloque la cebolla en un cuenco que no sea metálico junto con el ajo, el jalapeño, el zumo de limón y el comino. Sale a su gusto y remueva para mezclar bien. Tape la salsa y déjela enfriar en la nevera hasta el momento de servirla.

❷ Para preparar una salsa cruda de textura gruesa, mezcle los ingredientes en un cuenco que no sea metálico y sale a su gusto. Tape la salsa y enfríe en la nevera hasta el momento de servirla.

❸ Para elaborar una salsa cruda de textura más fina, triture todos los ingredientes en un robot de cocina. Tápela y déjela enfriar en la nevera.

Variación

Si prefiere que la salsa cruda tenga un sabor más afrutado y fresco, sustituya el tomate por gajos de naranja picados finos y pepino despepitado cortado en dados.

Guacamole auténtico

Lo mejor es tomar el guacamole recién hecho, con una textura que permita distinguir el sabor del aguacate. Sírvalo como acompañamiento de cualquier plato mexicano, o como salsa en la que mojar palitos de verdura o nachos.

para 4 personas

1 tomate maduro
2 limas
2-3 aguacates maduros pequeños o medianos, o 1-2 grandes
¼-½ cebolla picada fina
una pizca de comino molido
una pizca de guindilla molida suave
½-1 guindilla verde fresca, p. ej. chile jalapeño o serrano, despepitada y picada fina
1 cucharada de cilantro fresco picado fino, y un poco más para adornar (opcional)
sal (opcional)
nachos, para acompañar (opcional)

Preparación

❶ Para pelar el tomate, escáldelo 30 segundos, escúrralo y sumérjalo en agua fría. Así, la piel se separará fácilmente. Parta el tomate por la mitad, despepítelo y trocéelo.

❷ Exprima las limas y vierta el zumo en un cuenco pequeño que no sea metálico. Corte uno de los aguacates por la mitad, alrededor del hueso. Separe las dos mitades y retire el hueso con un cuchillo. Pele el aguacate con cuidado y corte la pulpa en dados. Mezcle los trozos de aguacate con el zumo de lima para evitar que se oxiden. Repita este proceso con los demás aguacates y cháfelos hasta obtener una pasta espesa.

❸ Añada el tomate, la cebolla, el comino, la guindilla molida, la guindilla fresca y el cilantro. Si va a servir el guacamole con nachos, no añada sal. Si va a servirlo como salsa, sale a su gusto.

❹ Para servir el guacamole con nachos, colóquelo en un cuenco, adórnelo con cilantro y sirva los nachos en otro recipiente.

Mole poblano

Un plato para las grandes ocasiones, como bautizos o bodas, que se caracteriza por la insólita combinación de guindillas y chocolate.

para 8-10 personas

3 chiles mulatos secos
3 chiles anchos suaves secos
5-6 chiles Nuevo México o California secos
1 cebolla picada
5 dientes de ajo majados
450 g de tomates maduros
2 tortillas secas troceadas
una pizca de clavo
una pizca de semillas de hinojo
1/8 de cucharadita de canela molida, de cilantro y de comino
3 cucharadas de semillas de sésamo tostadas
3 cucharadas de almendras escaldadas, fileteadas o picadas gruesas
2 cucharadas de pasas
1 cucharada de crema de cacahuete (opcional)
450 ml de caldo de pollo
3-4 cucharadas de chocolate negro rallado y un poco más para adornar
2 cucharadas de guindilla molida suave
3 cucharadas de aceite vegetal
sal y pimienta
alrededor de 1 cucharada de zumo de lima

Preparación

❶ Ase las guindillas de una de una, sosteniéndolas con pinzas directamente sobre la llama del fogón, durante unos segundos. También puede tostarlas en una sartén (sin aceite ni grasa) a fuego medio 30 segundos, dándoles la vuelta sin cesar.

❷ Coloque las guindillas en un cuenco y cúbralas con agua hirviendo. Tape el cuenco y déjelas en remojo 1 hora como mínimo, o bien hasta el día siguiente.

❸ Saque las guindillas del agua y deseche los rabillos y las semillas. Trocéelas y colóquelas en un robot de cocina.

❹ Añada la cebolla, el ajo, el tomate, la tortilla, el clavo, el hinojo, la canela, el cilantro, el comino, el sésamo, la almendra, las pasas y la crema de cacahuete (si usa). Triture los ingredientes y mézclelos bien. Con el robot en marcha, agregue caldo hasta obtener una pasta sin grumos. Añada, sin dejar de remover, el resto del caldo, el chocolate y la guindilla molida.

❺ Caliente bien el aceite en una olla honda. Incorpore el mole y cuézalo 10 minutos, removiendo de vez en cuando.

❻ Sazone con sal, pimienta y zumo de lima. Adorne con chocolate y sirva.

Salsa de piña fresca

Esta fresca y fragante salsa afrutada constituye el contrapunto dulce perfecto para una comida picante a la barbacoa.

para 4 personas

½ piña madura
el zumo de 1 lima o de 1 limón
1 diente de ajo majado
1 cebolleta en rodajas finas
½-1 guindilla fresca verde o roja, despepitada y picada
½ pimiento rojo despepitado y troceado
3 cucharadas de menta fresca picada
3 cucharadas de cilantro fresco picado
una pizca de sal
una pizca de azúcar

Preparación

❶ Con un cuchillo afilado, corte ambos extremos de la piña. Colóquela de pie sobre una tabla y pele la corteza en tiras de arriba abajo. Parta la pulpa en rodajas, divida las rodajas por la mitad y quíteles la parte dura (si lo desea). Trocee la pulpa en dados. Reserve el jugo resultante del proceso.

❷ Ponga la pulpa y el jugo de la piña en un cuenco no metálico. Añada el zumo de lima, el ajo, la cebolleta, la guindilla y el pimiento y mézclelo todo.

❸ Agregue la menta y el cilantro y, a continuación, la sal y el azúcar. Remueva bien para mezclar todos los ingredientes. Tape la salsa y enfríela en la nevera hasta el momento de servirla.

Variación

Sustituya la piña por 3 naranjas jugosas, peladas y cortadas en gajos.

Salsa de tomate picante

Esta salsa resulta excelente con tostadas crujientes, o como acompañamiento de pescado frito o a la parrilla. Pruébela como alternativa al ketchup.

para 4 personas

2-3 guindillas verdes frescas, p. ej. chiles jalapeños o serranos
225 g de tomate troceado de lata
1 cebolleta en rodajas finas
2 dientes de ajo majados
2-3 cucharadas de vinagre de sidra
50-80 ml de agua
una pizca generosa de orégano seco
una pizca generosa de comino molido
una pizca generosa de azúcar
una pizca generosa de sal

Preparación

❶ Parta las guindillas por la mitad, despepítelas (si lo prefiere) y píquelas.

❷ Coloque la guindilla en un robot de cocina o en una batidora junto con el tomate, la cebolleta, el ajo, el vinagre, el agua, el orégano, el comino, el azúcar y la sal. Triture los ingredientes hasta que no queden grumos.

❸ Rectifique los condimentos, tape la salsa y enfríela en la nevera hasta el momento de servirla. Puede guardarla en la nevera (tapada) hasta 1 semana.

Sugerencia

Si tiene la piel sensible, es recomendable que use guantes de plástico para preparar las guindillas, ya que segregan una sustancia irritante. Recuerde que no debe tocarse los ojos cuando las manipule.

Fríjoles refritos

Los fríjoles refritos son uno de los manjares más famosos de México. Se comen de muchas maneras: en tostadas y panecillos, como acompañamiento de platos de arroz o como relleno de tortillas.

para 4-6 personas

500 g de alubias pintas o *borlotti* secas, remojadas toda la noche y escurridas
1 ramita de menta fresca
1 ramita de tomillo fresco
1 ramita de perejil italiano fresco
2-3 cebollas picadas
125 ml de aceite vegetal o 125 g de manteca o de grasa animal
½ cucharadita de comino molido
sal
250 g de queso cheddar rallado (opcional)

Preparación

❶ Ponga las alubias en una cazuela, cúbralas de agua sin sal y añádales las ramitas de menta, tomillo y perejil. Lleve a ebullición, baje el fuego al mínimo y cueza con la cazuela tapada, durante 2 horas, o hasta que las alubias estén tiernas. Añada 1 cebolla y siga cociendo hasta que la cebolla y las alubias estén muy tiernas.

❷ Triture ⅔ de las alubias cocidas, junto con el líquido de la cocción, en un robot de cocina o en una batidora. Añada al puré resultante el resto de las alubias y reserve.

❸ Caliente el aceite en una sartén grande y honda. Añada el resto de la cebolla y saltéela hasta que quede muy tierna. Sazone a su gusto con comino y sal.

❹ Incorpore una taza (unos 240 ml) del puré de fríjoles a la sartén y fría, removiendo sin cesar, hasta que la mezcla se espese; las alubias enteras se tostarán un poco al freírse.

❺ Siga añadiendo el puré de fríjoles, a grandes cucharadas, removiendo sin cesar y esperando a que se espese antes de añadir más cantidad. Al final, en la sartén tendrá un puré muy espeso con tropezones.

❻ Si usa queso, espárzalo sobre los fríjoles refritos y tape la sartén hasta que se funda. También puede fundir el queso bajo el gratinador del horno a temperatura media. Sirva el plato enseguida.

Variación

Incorpore a los fríjoles trozos de chorizo frito y una lata pequeña de sardinas, también en forma de puré.

Platos principales

Pechuga de pollo en salsa verde

Estas pechugas de pollo, bañadas en una aromática salsa, constituyen un plato ideal para las cenas con invitados. Acompáñelas con arroz.

para 4 personas

4 filetes de pechuga de pollo
sal y pimienta
harina, para rebozar
2-3 cucharadas de mantequilla, o de mantequilla y aceite mezclados
450 g de salsa verde suave, o de puré de tomatillo
225 ml de caldo de pollo
1-2 dientes de ajo majados
3-5 cucharadas de cilantro fresco picado y un poco más para acompañar
½ guindilla verde despepitada y picada
½ cucharadita de comino molido

Para acompañar

225 ml de crema agria
hojas de lechuga romana en tiras
3-5 cebolletas en rodajas finas

Preparación

❶ Salpimente las pechugas, enharínelas y sacúdalas para retirarles el exceso de harina.

❷ Derrita la mantequilla en una sartén, incorpore el pollo y fríalo a fuego medio-alto, dándole la vuelta una vez, hasta que se dore, pero sin que se llegue a hacer del todo (terminará de hacerse al cocerlo en la salsa). Retírelo de la sartén y resérvelo.

❸ Ponga la salsa verde, el caldo, el ajo, el cilantro, la guindilla y el comino en una cazuela. Lleve a ebullición, baje la temperatura y cueza a fuego lento. Incorpore la carne y viértale algunas cucharadas de salsa por encima. Cuézalo todo entre 25 y 30 minutos, hasta que el pollo esté tierno.

❹ Retire las pechugas y la salsa de la cazuela y salpimente a su gusto. Sirva el plato acompañado de crema agria, lechuga, cebolleta y cilantro.

Pollo adobado a la lima

Es un plato perfecto para el verano. El adobo de naranja y lima le da un sabor fresco y ayuda a mantener la carne tierna y jugosa durante la cocción.

para 4 personas

1 pollo cortado en cuartos
1 cucharada de guindilla molida suave
1 cucharada de pimentón
2 cucharaditas de comino molido
el zumo y la cáscara de 1 naranja
el zumo de 3 limas
una pizca de azúcar
8-10 dientes de ajo majados
1 manojo de cilantro fresco picado grueso y unas ramitas más para adornar
2-3 cucharadas de aceite de oliva virgen
50 ml de cerveza, tequila o zumo de piña (opcional)
sal y pimienta

Para acompañar

cuartos de lima
ensalada de tomate, pimiento verde y cebolleta

Preparación

❶ Coloque el pollo en una fuente que no sea metálica. Mezcle los demás ingredientes en un cuenco y sazónelos.

❷ Vierta el adobo sobre el pollo, dándole la vuelta para que quede bien cubierto. Tape la fuente y deje macerar el pollo a temperatura ambiente 1 hora como mínimo, o si puede 24 horas en la nevera.

❸ Precaliente el gratinador del horno a temperatura media. Saque el pollo del adobo y séquelo con papel de cocina.

❹ Ponga el pollo en una fuente para el horno y gratínelo entre 20 y 25 minutos, dándole la vuelta una vez, hasta que la carne esté tierna y, al pincharla por la parte más gruesa, el jugo salga claro. También puede asar el pollo en una plancha. Úntelo de adobo de vez en cuando, excepto durante los últimos minutos de cocción.

❺ Adorne el pollo con ramitas de cilantro y sírvalo con cuartos de lima y ensalada de tomate, pimiento verde y cebolleta.

Alitas de pollo al tequila

El tequila hace más tierna la carne y aporta un sabor exquisito a estas sabrosas alitas. Sírvalas con tortillas de maíz, fríjoles refritos, salsa y cerveza bien fría.

para 4 personas

900 g de alitas de pollo
11 dientes de ajo majados
el zumo de 2 limas
el zumo de 1 naranja
2 cucharadas de tequila
1 cucharada de guindilla molida suave
2 cucharaditas de salsa de chipotle envasada, o 2 chipotles secos, rehidratados (*véase* Sugerencia) y triturados
2 cucharadas de aceite vegetal
1 cucharadita de azúcar
¼ de cucharadita de pimienta inglesa molida
una pizca de canela molida
una pizca de comino molido
una pizca de orégano seco
tomates partidos en dos, asados a la brasa o gratinados, para acompañar (opcional)

Preparación

1. Corte las alitas de pollo en dos trozos, a la altura de la articulación.

2. Ponga las alitas en un cuenco no metálico y añada los demás ingredientes. Remuévalo todo para que quede bien untado, tape el cuenco y déjelo macerar en la nevera durante 3 horas como mínimo, o hasta el día siguiente.

3. Precaliente la barbacoa. Ase las alitas, dándoles la vuelta de vez en cuando, de 15 a 20 minutos, o hasta que estén doradas y crujientes y el jugo salga claro al pincharlas. Sírvalas acompañadas de tomates asados, si lo desea.

Sugerencia

Para rehidratar los chipotles, póngalos en un cazo y cúbralos con agua. Lleve a ebullición, con cuidado de que los vahos no le lleguen al rostro. Cuézalos 5 minutos y resérvelos hasta que se hayan ablandado. Sáquelos del agua y deseche las semillas y los rabillos.

Chilaquiles de guindilla verde y pollo

Este plato resulta perfecto para una cena entre semana, ya que se prepara fácilmente. Si lo prefiere, sustituya las tortillas secas por nachos.

para 4-6 personas

12 tortillas secas cortadas en tiras
1 cucharada de aceite vegetal
1 pollo pequeño cocido, deshuesado, cortado en trocitos
salsa cruda (*véase* pág. 24)
3 cucharadas de cilantro fresco picado
1 cucharadita de orégano o tomillo frescos, picados finos
4 dientes de ajo majados
¼ de cucharadita de comino molido
350 g de queso rallado, p. ej. cheddar, manchego o mozzarella
450 ml de caldo de pollo
115 g de parmesano recién rallado

Para acompañar
350 ml de nata fresca espesa o crema agria
3-5 cebolletas en rodajitas finas
guindillas encurtidas

Preparación

❶ Precaliente el horno a 190 °C. Ponga las tiras de tortilla en una fuente, mézclelas con el aceite y hornéelas 30 minutos, o hasta que estén doradas y crujientes.

❷ Disponga la mitad de la carne de pollo en una fuente refractaria de 23 x 33 cm. Esparza por encima la mitad de la salsa, del cilantro, del orégano, del ajo y del comino, así como parte del queso cheddar. Añada una capa más de cada ingrediente, en el mismo orden, y por último recúbralo todo con las tiras de tortilla horneadas.

❸ Vierta el caldo y añada el parmesano.

❹ Hornee a 190 °C 30 minutos, o hasta que el queso esté dorado.

❺ Sirva los chilaquiles con un poco de nata, cebolleta y guindillas encurtidas.

Variación

Para preparar chilaquiles vegetarianos, sustituya la carne de pollo por dados de tofu rehogados y maíz en grano.

Tostadas de pollo con salsa verde y chipotle

La carne de pollo constituye un complemento perfecto para estas tostadas. No es necesario cocinar el pollo expresamente, sino que puede aprovechar las sobras de otro guiso.

para 4-6 personas

6 tortillas de maíz tiernas
aceite vegetal, para freír
450 g de pechuga o muslos de pollo, deshuesados y sin piel, en tiras o trocitos
225 ml de caldo de pollo
2 dientes de ajo majados
400 g de fríjoles refritos (*véase* pág. 34), o de alubias pintas o *borlotti* en conserva
una pizca generosa de comino molido
225 g de queso rallado
1 cucharada de cilantro fresco picado
2 tomates maduros en dados
un manojo de hojas de lechuga (romana o iceberg) en tiras
4-6 rábanos en dados
3 cebolletas en rodajitas finas
1 aguacate maduro, deshuesado, pelado, en dados y rociado con zumo de lima
crema agria, a su gusto
1-2 chipotles en conserva, o bien chipotles secos remojados (*véase* Sugerencia pág. 42), en tiras finas

Preparación

❶ Para hacer las tostadas, fría las tortillas con un poco de aceite en una sartén antiadherente, hasta que queden crujientes. Resérvelas.

❷ Ponga en una olla el pollo, el caldo y el ajo. Lleve a ebullición, baje el fuego y cueza 1 o 2 minutos, o hasta que el pollo empiece a cambiar de color.

❸ Retire la olla del fuego y deje reposar el pollo en el caldo caliente para que termine de cocerse.

❹ Caliente los fríjoles en otra olla, con agua suficiente para que quede un puré. Añádale el comino y manténgalo caliente.

❺ Recaliente las tostadas en el gratinador precalentado, a temperatura media. Úntelas con los fríjoles calientes y esparza por encima el queso rallado. Saque la carne de pollo del caldo y repártala entre las tostadas. Añada el cilantro, el tomate, la lechuga, el rábano, la cebolleta y el aguacate. Adorne las tostadas con crema agria y unas tiras de chipotle, y sírvalas.

Fajitas de ternera

Clásicas fajitas de ternera, con salsa picante y envueltas en una tortilla. La ensalada de lechuga y naranja constituye un acompañamiento perfecto.

para 4-6 personas

700 g de solomillo u otra pieza tierna de ternera, en tiras
6 dientes de ajo majados
el zumo de 1 lima
una pizca generosa de guindilla molida
una pizca generosa de pimentón
una pizca generosa de comino molido
1-2 cucharadas de aceite de oliva virgen
sal y pimienta
12 tortillas de trigo
aceite vegetal, para aceitar y saltear
1-2 aguacates maduros, deshuesados, pelados, cortados en dados y rociados con zumo de lima
125 ml de crema agria

Salsa de pico de gallo

8 tomates maduros en dados
3 cebolletas en rodajas
1-2 guindillas verdes frescas, p. ej. chile jalapeño o serrano, despepitadas y picadas
3-4 cucharadas de cilantro fresco picado
5-8 rábanos en dados
comino molido, a su gusto

Preparación

❶ Mezcle la carne con el ajo, el zumo de lima, la guindilla molida, el pimentón, el comino y el aceite. Salpimente. Remuévalo todo bien, tape el recipiente y déjelo macerar 30 minutos a temperatura ambiente, o bien toda la noche en la nevera.

❷ Para preparar la salsa, ponga el tomate en un cuenco junto con la cebolleta, la guindilla fresca, el cilantro y el rábano. Sazone con comino, sal y pimienta.

❸ Caliente las tortillas en una sartén untada con aceite. A medida que las saque de la sartén, envuélvalas en un paño de cocina limpio para que no se enfríen.

❹ Caliente un poco de aceite en una sartén grande o en un wok. Saltee la carne a fuego vivo hasta que esté hecha.

❺ Sirva en recipientes separados la carne (muy caliente), las tortillas calientes, la salsa, el aguacate y la crema agria, de modo que cada comensal se pueda preparar sus propias fajitas.

Ternera de Michoacán

Este suculento estofado es sencillamente delicioso. Complete el plato con alubias rojas y arroz. Las sobras de carne se pueden utilizar para hacer tacos.

para 4-6 personas

unas 3 cucharadas de harina
sal y pimienta
1 kg de ternera para estofado, en trozos grandes
2 cucharadas de aceite vegetal
2 cebollas picadas
5 dientes de ajo majados
400 g de tomates en dados
1½ chiles chipotles secos, remojados (*véase* Sugerencia pág. 42) y cortados en tiritas finas
1,5 litros de caldo de ternera
350 g de judías verdes
una pizca de azúcar

Para acompañar

alubias rojas
arroz al vapor

Preparación

❶ Ponga la harina en un cuenco grande y salpiméntela. Incorpore la carne y rebócela. Al retirarla del cuenco, sacúdala para quirtarle el exceso de harina.

❷ Caliente el aceite en una sartén. Añada la ternera y fríala a fuego vivo unos instantes. Baje la temperatura a fuego medio, incorpore la cebolla y el ajo y saltéelo todo unos 2 minutos.

❸ Agregue el tomate, el chipotle y el caldo. Tape la sartén y cueza a fuego lento 1½ horas, o hasta que la carne esté tierna. Incorpore las judías verdes y el azúcar 15 minutos antes de finalizar la cocción. Con una espumadera, retire de vez en cuando la grasa de la superficie.

❹ Disponga el estofado en boles, y sírvalo con alubias rojas y arroz.

Sugerencia

Este plato se preparaba tradicionalmente con higos chumbos, que son los que le aportaban su sabor característico. Necesitará 350-400 g de higos chumbos, frescos o en conserva. Pélelos, córtelos en rodajas, escáldelos y añádalos con el tomate.

Carnitas

Las irresistibles carnitas se preparan en dos fases: primero se cuece la carne de cerdo hasta que se deshace de tierna, y después se fríe para dejarla crujiente.

para 4-6 personas

1 kg de carne de cerdo
1 cebolla picada
1 cabeza de ajo cortada por la mitad
½ cucharadita de comino molido
2 cubitos de caldo de carne
2 hojas de laurel
sal y pimienta
tiras de guindilla fresca, para adornar

Para acompañar
arroz recién hecho
fríjoles refritos (*véase* pág. 34)
una salsa de su elección

Preparación

❶ Ponga el cerdo en una olla grande junto con la cebolla, el ajo, el comino, los cubitos de caldo y el laurel. Añada agua hasta cubrir los ingredientes y lleve a ebullición. Baje el fuego al mínimo y retire la espuma de la superficie.

❷ Cueza a fuego muy lento durante 2 horas, o hasta que la carne esté muy tierna. Retire la olla del fuego y deje la carne en el caldo hasta que se enfríe.

❸ Con una espumadera, saque de la olla la carne. Quítele la piel que pueda tener (ásela por separado para hacer chicharrones) y a continuación trocee la carne y salpiméntela. Reserve 300 ml del caldo de cocción.

❹ Fría el cerdo en una sartén honda durante 15 minutos para que se consuma la grasa. Añada el caldo reservado y espere a que se evapore. Cueza la carne 15 minutos más (tape la sartén para evitar salpicaduras), removiéndola de vez en cuando.

❺ Disponga el cerdo en una fuente, adórnelo con tiras de guindilla y sírvalo con arroz, fríjoles refritos y salsa.

Cerdo con ciruelas

Las ciruelas pasas aportan un sabor afrutado a este guiso picante. Sírvalo con tortillas o pan para mojar en la suculenta salsa.

para 4-6 personas

1 pieza de cerdo de 1,5 kg, p. ej. pierna o paletilla
el zumo de 2-3 limas
10 dientes de ajo majados
3-4 cucharadas de guindilla molida suave, p. ej. chile ancho o Nuevo México
4 cucharadas de aceite vegetal
sal
2 cebollas picadas
500 ml de caldo de pollo
25 tomates pequeños, troceados gruesos
25 ciruelas pasas deshuesadas
1-2 cucharaditas de azúcar
una pizca de canela molida
una pizca de pimienta inglesa molida
una pizca de comino molido
tortillas de maíz, tiernas y calientes, para acompañar

Preparación

❶ Coloque el cerdo en una fuente que no sea metálica y añada el zumo de lima, el ajo, la guindilla molida y la mitad del aceite. Sale a su gusto. Tape la fuente y déjela macerar en la nevera hasta el día siguiente.

❷ Precaliente el horno a 180 °C. Retire el cerdo de la fuente y séquelo con papel de cocina. Reserve el adobo. Caliente el aceite restante en una cazuela que pueda ir al horno y fría la carne uniformemente, hasta que se empiece a dorar. Añada la cebolla, el adobo reservado y el caldo. Tape la cazuela y hornee 2 o 3 horas, o hasta que el cerdo esté tierno.

❸ Saque la cazuela del horno y retire con una cuchara la grasa de la superficie del caldo. Agregue el tomate. Hornee 20 minutos más o hasta que el tomate se ablande. Retire la cazuela del horno, chafe el tomate para reducirlo a puré e incorpore las ciruelas y el azúcar. Sazone con canela, pimienta inglesa y comino, y un poco más de guindilla molida, si lo desea.

❹ Suba la temperatura a 200 °C y hornee el guiso de 20 a 30 minutos más, o hasta que la carne se dore por encima y el jugo se espese.

❺ Retire la carne de la cazuela y espere unos minutos. Trínchela cuidadosamente en lonchas finas y vierta la salsa por encima. Sirva el guiso caliente, con tortillas de maíz.

Cerdo al tomatillo

Si no tiene tomatillos a mano, sustitúyalos por tomates frescos y salsa verde envasada, y añada un buen chorro de zumo de lima al final de la cocción.

para 4 personas

1 kg de carne de cerdo, cortada en trozos grandes
1 cebolla picada
2 hojas de laurel
1 cabeza de ajo cortada por la mitad
1 cubito de caldo de carne
2 dientes de ajo majados
450 g de tomatillos frescos, sin la cáscara, hervidos en un poco de agua hasta que empiecen a ablandarse y troceados; o bien en conserva
2 guindillas verdes frescas, grandes, suaves, despepitadas y picadas
3 cucharadas de aceite vegetal
225 ml de caldo de cerdo o pollo
½ cucharadita de guindilla molida suave, p. ej. chile ancho o Nuevo México
½ cucharadita de comino molido
4-6 cucharadas de cilantro fresco picado, para adornar

Para acompañar

tortillas de trigo calientes
cuartos de lima

Preparación

❶ Ponga el cerdo en una cazuela grande con la cebolla, el laurel y la cabeza de ajo. Cubra los ingredientes con agua, añada el cubito de caldo y lleve a ebullición. Retire la espuma de la superficie, baje el fuego al mínimo y deje cocer la carne durante 1 hora y media aproximadamente, o hasta que esté muy tierna.

❷ Mientras tanto, coloque en un robot de cocina o en una batidora el ajo majado, el tomatillo y la guindilla. Triture los ingredientes hasta reducirlos a puré.

❸ Caliente el aceite en una sartén honda. Vierta el puré de tomatillo y cuézalo a fuego medio-alto durante 10 minutos, o hasta que se espese. Añada el caldo, la guindilla molida y el comino.

❹ Retire la carne de la cazuela e incorpórela a la salsa. Cuézala a fuego lento 20 minutos.

❺ Adorne el guiso con cilantro picado y sírvalo acompañado de tortillas calientes y cuartos de lima.

Burritos de cordero y fríjoles

Estos sabrosos burritos se rellenan con un salteado de cordero adobado y exquisitos fríjoles negros.

para 4 personas

650 g de carne de cordero, en lonchas finas
3 dientes de ajo majados
el zumo de ½ lima
½ cucharadita de guindilla molida suave
½ cucharadita de comino molido
una pizca generosa de orégano seco
1-2 cucharadas de aceite de oliva virgen
sal y pimienta
400 g de fríjoles negros cocidos, sazonados con comino, sal y pimienta
4 tortillas de trigo grandes
2-3 cucharadas de cilantro fresco picado y unas ramitas más para adornar
salsa de chipotle envasada u otra salsa de su elección
cuartos de lima, para acompañar (opcional)

Preparación

❶ Mezcle la carne de cordero con el ajo, el zumo de lima, la guindilla molida, el comino, el orégano y el aceite en un cuenco que no sea metálico. Salpimente. Tápelo y déjelo macerar en la nevera 4 horas.

❷ Caliente los fríjoles, con un poco de agua, en un cazo.

❸ Caliente las tortillas en una sartén antiadherente, sin aceite. Mientras las calienta, rocíelas con unas gotas de agua. Para que no se enfríen, envuélvalas en un paño de cocina limpio a medida que las vaya sacando de la sartén.

❹ En una sartén honda antiadherente, saltee las lonchas de cordero a fuego vivo hasta que se frían por ambos lados. Retire la sartén del fuego.

❺ Disponga ¼ de los fríjoles y del cordero en una tortilla, añada cilantro y un poco de salsa y doble la tortilla por los lados. Haga lo mismo con las otras tortillas. Adorne el plato con cilantro y sírvalo enseguida, con cuartos de lima y un poco más de salsa (si lo desea).

Variación

Añada una o dos cucharadas de arroz hervido a cada burrito.

Guiso picante de carne y chipotle

Con esta especialidad de Puebla (México) se preparan unos tacos magníficos. Sirva este guiso con abundantes tortillas de maíz tiernas y calientes para que cada cual se haga su propio taco.

para 6 personas

1 cucharada de aceite vegetal
1 cebolla picada fina
450 g de sobras de carne de otro guiso, p. ej. cerdo o ternera hervidos, enfriada y cortada en tiras finas
1 cucharada de guindilla molida suave
2 tomates maduros, despepitados y cortados en dados
unos 225 ml de caldo de carne
½-1 chile chipotle en conserva, chafado, con un poco de marinada, o bien unas gotas de salsa de chipotle en conserva
cilantro fresco picado, para adornar, y un poco más para acompañar

Para acompañar

tortillas de maíz tiernas, calientes
125 ml de crema agria
4-6 cucharadas de rábano troceado
3-4 hojas de lechuga romana o iceberg en tiras

Preparación

❶ Caliente el aceite en una sartén. Saltee la cebolla hasta que se ablande, removiendo de vez en cuando. Añada la carne y saltéela 3 minutos, o hasta que se empiece a dorar, removiendo.

❷ Agregue la guindilla molida, el tomate y el caldo. Cuézalo todo hasta que adquiera la consistencia de una salsa.

❸ Incorpore el chipotle y la marinada. Siga cociendo y mezclando hasta que la salsa y la carne estén bien ligadas.

❹ Adorne el guiso con cilantro y sírvalo con abundantes tortillas de maíz calientes, de modo que cada comensal se pueda preparar su propio taco. Sirva también crema agria, cilantro, rábano y lechuga para incluirlos en los tacos.

Sugerencia

El aguacate aporta un interesante contraste de textura a la carne picante: sirva el guiso con dos aguacates en rodajas rociados con zumo de lima. También puede servirlo encima de tostadas crujientes en vez de como tacos.

Salmón gratinado

El sabor a madera y ligeramente ahumado del chipotle combina a la perfección con el salmón gratinado. El adobo también resulta delicioso con atún fresco.

para 4 personas

4 filetes de salmón, de unos 175-225 g cada uno

Para acompañar

tomate cortado en gajos

3 cebolletas en rodajitas finas

lechuga en tiras

Adobo

4 dientes de ajo

2 cucharadas de aceite de oliva virgen

una pizca de pimienta inglesa molida

una pizca de canela molida

el zumo de 2 limas

1-2 cucharaditas de la marinada de un bote de chipotles, o bien de salsa de chipotle envasada

¼ de cucharadita de comino molido

una pizca de azúcar

sal y pimienta

rodajas de lima, para adornar

Preparación

❶ Para preparar el adobo, maje el ajo y póngalo en un cuenco que no sea metálico junto con el aceite, la pimienta inglesa, la canela, el zumo de lima, la marinada del chipotle, el comino y el azúcar. Salpimente y remueva bien.

❷ Unte el salmón con el adobo y póngalo en una fuente grande que no sea metálica. Tápelo con film transparente y déjelo macerar 1 hora en la nevera.

❸ Precaliente el gratinador a temperatura media. Ponga el salmón en una fuente para horno y gratínelo a temperatura alta unos 3 o 4 minutos por cada lado, o hasta que esté bien hecho. Si lo prefiere, puede asarlo en la barbacoa.

❹ Mezcle el tomate y la cebolleta. Disponga el salmón en platos individuales, con la ensalada de tomate y las tiras de lechuga. Adorne el plato con rodajas de lima y sírvalo.

Pescado al estilo de Yucatán

Las semillas de bija son rojas, pequeñas y muy duras, y se deben dejar en remojo toda la noche para poder majarlas. Saben a limón y colorean los alimentos de naranja oscuro.

para 8 personas

4 cucharadas de semillas de bija, remojadas en agua toda la noche
3 dientes de ajo majados
1 cucharada de guindilla molida suave
1 cucharada de pimentón
1 cucharadita de comino molido
½ cucharadita de orégano seco
2 cucharadas de cerveza o tequila
el zumo de 1 lima y 1 naranja
2 cucharadas de aceite de oliva
2 cucharadas de cilantro fresco picado, y unas ramitas para adornar
¼ de cucharadita de canela molida
¼ de cucharadita de clavo molido
1 kg de filetes de pez espada
hojas de banano, para envolver (opcional)
cuartos de naranja, para acompañar

Preparación

❶ Escurra las semillas de bija y májelas. Incorpore el ajo, la guindilla molida, el pimentón, el comino, el orégano, la cerveza, el zumo, el aceite, el cilantro, la canela y el clavo.

❷ Unte el pescado con la pasta resultante, tápelo y déjelo adobar en la nevera 3 horas como mínimo o toda la noche.

❸ Envuelva los filetes de pescado en hojas de banano y átelos con bramante fino a modo de paquetitos. Lleve agua a ebullición en una olla con una vaporera encima. Coloque los paquetitos en la vaporera y cuézalos al vapor 15 minutos, o hasta que el pescado esté hecho.

❹ También puede cocinar el pescado sin envolverlo en las hojas de banano. Para hacerlo a la brasa, póngalo en la parrilla y áselo 5 o 6 minutos por cada lado, o hasta que esté hecho. Para gratinarlo en el horno, precaliente el gratinador y siga los mismos tiempos de cocción que para la barbacoa.

❺ Adorne el plato con ramitas de cilantro y sírvalo con cuartos de naranja para exprimirla sobre el pescado.

Gambas a la guindilla con salsa de aguacate

La salsa de aguacate resulta deliciosa con cualquier plato picante a la parrilla, especialmente si es de marisco.

para 4 personas

650 g de gambas grandes crudas peladas (excepto la cola)
½ cucharadita de comino molido
½ cucharadita de guindilla molida suave
½ cucharadita de pimentón
2 cucharadas de zumo de naranja
la ralladura de 1 naranja
2 cucharadas de aceite de oliva virgen
2 cucharadas de cilantro fresco picado y un poco más para adornar
sal y pimienta
2 aguacates maduros
½ cebolla picada fina
¼ de guindilla fresca, verde o roja, despepitada y picada
el zumo de ½ lima

Preparación

❶ Precaliente la barbacoa. Mezcle las gambas con el comino, la guindilla molida, el pimentón, el zumo y la ralladura de naranja, el aceite y la mitad del cilantro. Salpimente al gusto.

❷ Ensarte las gambas en broquetas metálicas o en broquetas de bambú previamente remojadas.

❸ Corte los aguacates por la mitad. Gire las mitades para separarlas y retire el hueso con un cuchillo. Pélelos, corte la pulpa en dados y mézclela con el resto del cilantro, la cebolla, la guindilla fresca y el zumo de lima en un cuenco que no sea metálico. Salpimente y reserve.

❹ Ase los pinchitos de gambas en la barbacoa unos minutos por cada lado, hasta que tengan un color rosa brillante y opaco.

❺ Adorne las gambas con cilantro y sírva as con la salsa de aguacate.

Variación

Parta y unte con mantequilla varios panecillos, áselos a la parrilla y rellénelos con las gambas así cocidas y la salsa de aguacate. Resultarán unos bocadillos exquisitos.

Migas

Las migas son perfectas para una comida o una cena ligeras. Se preparan con huevo, guindilla, tomate y nachos, y se les puede añadir algún tipo de nata.

para 4 personas

2 cucharadas de mantequilla
6 dientes de ajo majados
1 guindilla verde fresca, p. ej. chile jalapeño o serrano, despepitada y picada
1½ cucharaditas de comino molido
6 tomates maduros troceados
8 huevos poco batidos
8-10 tortillas de maíz tiernas, cortadas en tiras y fritas hasta quedar crujientes, o bien la misma cantidad de nachos poco salados
4 cucharadas de cilantro fresco picado
3-4 cebolletas en rodajitas finas
guindilla molida suave, para adornar

Preparación

❶ Derrita la mitad de la mantequilla en un cazo. Saltee el ajo y la guindilla fresca hasta que se ablanden, pero sin que se lleguen a dorar. Añada el comino y saltee 30 segundos, removiendo. Incorpore el tomate y cueza a fuego medio 3 o 4 minutos más, o hasta que se evapore su jugo. Retire del cazo y reserve. Derrita la mantequilla restante en una sartén, a fuego lento, y vierta el huevo batido. Remueva hasta que empiece a cuajar.

❷ Incorpore a la sartén la mezcla de tomate y guindilla reservada, removiendo con cuidado para ligar bien todos los ingredientes.

❸ Añada cuidadosamente los nachos y siga cociendo, removiendo una o dos veces, hasta que el huevo adquiera la consistencia deseada. Los nachos deben quedar algo reblandecidos.

❹ Ponga las migas en una fuente de servir con el cilantro y la cebolleta alrededor. Espolvoree con guindilla molida y sirva.

Variación

Fría carne picada de ternera o cerdo y añádala a las migas. También puede incorporar un manojo de espinacas o de acelgas, hervidas y troceadas, para darles un toque de color y frescura.

Arroz con fríjoles negros

El líquido de la cocción de alubias es perfecto para hervir arroz. Y el de fríjoles negros aún más, por el delicioso sabor y el bonito color que da al arroz.

para 4 personas

1 cebolla picada

5 dientes de ajo majados

225 ml de caldo de pollo o de verduras

2 cucharadas de aceite vegetal

175 g de arroz de grano largo

225 ml del líquido de la cocción de fríjoles negros y un puñado de fríjoles

½ cucharadita de comino molido

sal y pimienta

Para adornar

3-5 cebolletas en rodajitas finas

2 cucharadas de cilantro fresco picado

Preparación

❶ Ponga en un robot de cocina la cebolla, el ajo y el caldo. Triture la mezcla hasta formar una salsa con tropezones.

❷ Caliente el aceite en una sartén honda y dore el arroz. Añada la salsa de cebolla y el líquido de cocción de los fríjoles (con los fríjoles incluidos). Sazone a su gusto con comino, sal y pimienta.

❸ Tape la sartén y cueza a fuego medio-bajo 10 minutos, o hasta que el arroz esté en su punto. El arroz debe quedar del tono morado que se aprecia en la fotografía.

❹ Esponje con un tenedor los granos de arroz, tape la sartén y déjelo reposar 5 minutos. Sirva el arroz adornado con cebolleta y cilantro.

Variación

Sustituya los fríjoles negros por alubias pintas o garbanzos. Siga la receta exactamente igual y sirva el arroz con una salsa picante salada, o como guarnición de platos de carne asada.

Tostadas vegetarianas

Recubra con verduras picantes estas crujientes tostadas y obtendrá un suculento festín vegetariano.

para 4 personas

4 tortillas de maíz tiernas
2-3 cucharadas de aceite de oliva virgen o vegetal, y un poco más para freír
2 patatas en dados
1 zanahoria en dados
3 dientes de ajo majados
1 pimiento rojo despepitado y cortado en cuadraditos
1 cucharadita de guindilla molida suave
1 cucharadita de pimentón
½ cucharadita de comino molido
3-4 tomates maduros en dados
115 g de judías verdes escaldadas y troceadas
varias pizcas generosas de orégano seco
400 g de fríjoles negros, cocidos y escurridos
225 g de queso feta desmenuzado
3-4 hojas de lechuga romana en tiras
3-4 cebolletas en rodajitas finas

Preparación

❶ Para hacer las tostadas, fría las tortillas de maíz en una sartén antiadherente, con un poco de aceite, hasta que queden crujientes. Resérvelas.

❷ Caliente el resto del aceite en la sartén. Saltee 10 minutos la patata y la zanahoria, hasta que se ablanden. Añada el ajo, el pimiento, la guindilla, el pimentón y el comino. Saltee 2 o 3 minutos, hasta que el pimiento se ablande.

❸ Agregue el tomate, las judías verdes y el orégano. Cueza entre 8 y 10 minutos, hasta que todas las verduras estén tiernas y tengan la consistencia de una salsa. Si la mezcla queda demasiado seca, añada un poquito de agua.

❹ Precaliente el gratinador a temperatura media. Caliente los fríjoles negros en un cazo, con muy poca agua, y manténgalos calientes. Recaliente las tostadas bajo el gratinador.

❺ Recubra las tostadas calientes con una capa de fríjoles, otra de queso feta y una más de salsa de verduras caliente. Añada la lechuga y la cebolleta y sirva el plato enseguida.

Enchiladas de queso con mole

Las enchiladas al mole resultan deliciosas, lo que constituye un buen motivo para preparar una gran cantidad de salsa (véase pág. 28). Si no tiene mucho tiempo, utilice pasta de mole precocinada.

para 4-6 personas

8 tortillas de maíz tiernas
aceite vegetal, para aceitar
450 ml de mole poblano (*véase* pág. 28) o de pasta de mole precocinada
unos 225 g de queso rallado, p. ej. cheddar, mozzarella, asiago o queso de Oaxaca, o bien una mezcla de éstos
225 ml de caldo de pollo o de verduras
5 cebolletas en rodajitas finas
2-3 cucharadas de cilantro fresco picado
un manojo de hojas de lechuga romana, en tiras
1 aguacate deshuesado, pelado, cortado en dados y rociado con zumo de lima
4 cucharadas de crema agria
una salsa de su elección

Preparación

❶ Precaliente el horno a 190 °C. Caliente las tortillas en una sartén antiadherente con muy poco aceite. Cuando las retire de la sartén, envuélvalas en papel de aluminio o en un paño de cocina limpio para que no se enfríen.

❷ Moje las tortillas en el mole y apílelas en una fuente. Ponga en la tortilla de encima varias cucharadas de queso rallado. Enróllela y colóquela en un fuente para el horno poco honda. Repita este proceso con las demás tortillas. Reserve un poco de queso para más tarde.

❸ Vierta el resto del mole sobre las enchiladas. Añada el caldo. Esparza por encima el queso reservado y tape la fuente con papel de aluminio.

❹ Hornee las enchiladas unos 20 minutos, hasta que estén muy calientes y el relleno de queso, fundido.

❺ Recubra las enchiladas con cebolleta, cilantro, lechuga, aguacate y crema agria. Añada salsa a su gusto y sírvalas enseguida.

Postres y bebidas

Sorbete de fruta

Este refrescante postre, tan sano y ligero como delicioso, se elabora con fruta helada. Escoja sus frutas preferidas.

para 4 personas

1 piña
1 porción grande de sandía pelada, despepitada y cortada en trocitos
225 g de fresas u otras bayas, sin rabillo ni hojas, enteras o troceadas
1 mango, 1 melocotón o 1 nectarina, deshuesado, pelado y troceado
1 plátano pelado y cortado en rodajas
zumo de naranja
azúcar glas, a su gusto

Preparación

❶ Con un cuchillo afilado, corte ambos extremos de la piña. Colóquela de pie en una tabla y pélela de arriba abajo. Pártala por la mitad, deseche la parte dura del centro y corte la pulpa en trozos grandes.

❷ Cubra con film transparente 2 bandejas planas y coloque toda la fruta encima. Ponga las bandejas en el congelador, sin tapar, 2 horas, o hasta que la fruta esté helada.

❸ Pase la piña a un robot de cocina y tritúrela en trocitos muy pequeños.

❹ Añada un poco de zumo de naranja y azúcar a discreción. Siga triturando hasta que adquiera una consistencia granulosa. Repita este proceso con cada una de las frutas restantes. Sirva los sorbetes en boles enfriados.

Variación

Para preparar un batido helado de fruta y yogur, no utilice ni piña ni sandía. Bata las demás frutas juntas, y sustituya el zumo por una mezcla a partes iguales de leche y yogur de frutas.

Piña al tequila con menta

Este postre frío y ligero constituye un refrescante modo de terminar una picante comida mexicana. Para completarlo, añádale una bola de sorbete de piña.

para 4-6 personas

1 piña

azúcar, a su gusto

el zumo de 1 limón

2-3 cucharadas de tequila o unas gotas de esencia de vainilla

las hojas de varias ramitas de menta fresca, cortadas en tiritas

una ramita de menta fresca, para adornar

Preparación

❶ Con un cuchillo afilado, corte ambos extremos de la piña. Colóquela de pie sobre una tabla y pélela de arriba abajo. Pártala por la mitad, deseche la parte dura del centro si lo prefiere, y corte la pulpa en trozos grandes.

❷ Ponga la piña en un cuenco y añádale el azúcar, el zumo de limón y el tequila.

❸ Remueva bien todos los ingredientes. Tape el cuenco y enfríelo en la nevera hasta el momento de servir el postre.

❹ Disponga la piña en una fuente de servir y esparza por encima las tiritas de menta fresca. Adorne el postre con una ramita de menta y sírvalo.

Variación

Sustituya la piña por 3 mangos. Para prepararlos, corte un trozo grande de pulpa a cada lado del hueso. Pélelos y córtelos en trozos grandes. Trocee la pulpa restante adherida al hueso.

Naranjas aztecas

De gran simplicidad, este refrescante postre de naranja es difícil de superar y resulta el contrapunto perfecto tras un plato fuerte pesado y picante.

para 4-6 personas

6 naranjas
1 lima
2 cucharadas de tequila
2 cucharadas de licor de naranja
azúcar moreno, a su gusto
tiritas finas de peladura de lima, para adornar (ver Sugerencia)

Preparación

❶ Con un cuchillo afilado, corte ambos extremos de las naranjas. Pélelas bien, retirando tanto la cáscara como la piel blanca y procurando mantener su forma.

❷ Sujete las naranjas de lado y córtelas en rodajas horizontales.

❸ Ponga las rodajas en un cuenco que no sea metálico. Corte la lima por la mitad y exprímala sobre la naranja. Vierta el tequila y el licor. Añada azúcar a discreción.

❹ Tape el cuenco y déjelo enfriar en la nevera hasta el momento de servirlo. Ponga las rodajas de naranja en una fuente y adórnelas con peladura de lima.

Sugerencia

Pele finamente la cáscara de una lima con el pelapatatas. Corte la peladura en tiritas finas. Escáldelas durante 2 minutos. Escúrralas en un colador y lávelas bajo el chorro de agua fría. Escúrralas de nuevo y séquelas con papel de cocina. Utilice el mismo método para adornar con piel de naranja o de limón.

Ensalada de fruta bicolor

Tómela como postre o como desayuno. La naranja potencia el sabor de la fresa y unas gotas de licor de naranja hacen maravillas (en ese caso, reduzca el azúcar).

para 4 personas

3 naranjas dulces

225 g de fresas

la ralladura y el zumo de 1 lima

1-2 cucharadas de azúcar glas

Para adornar

tiritas finas de peladura de lima (*véase* Sugerencia pág. 82)

una ramita de menta fresca

Preparación

❶ Con un cuchillo afilado, corte ambos extremos de las naranjas. Pélelas bien, retirando tanto la cáscara como la piel blanca y procurando mantener su forma.

❷ Con un cuchillo pequeño y afilado, corte las membranas de las naranjas para separar los gajos. Deseche las membranas.

❸ Retire y deseche los rabillos y las hojas de las fresas. Córtelas en rodajas a lo largo.

❹ Ponga la fruta en un cuenco que no sea metálico. Añada la ralladura y el zumo de lima, así como el azúcar. Tape el cuenco y déjelo enfriar en la nevera hasta el momento de servirlo.

❺ Para servirla, coloque la fruta en un cuenco de cristal y adorne el postre con peladura de lima y una ramita de menta.

Variación

Sustituya las naranjas por mangos, y las fresas por moras, y también obtendrá un postre de vistoso colorido.

Suspiros de chocolate

Según dicen, estos merengues deben su nombre a los suspiros de satisfacción de las monjas que los inventaron. Son ligeramente crujientes por fuera y cremosos por dentro.

para unas 25 unidades

4-5 claras de huevo, a temperatura ambiente
una pizca de sal
$\frac{1}{4}$ de cucharadita de crémor
$\frac{1}{4}$-$\frac{1}{2}$ cucharadita de esencia de vainilla
175-200 g de azúcar glas
$\frac{1}{8}$-$\frac{1}{4}$ de cucharadita de canela molida
115 g de chocolate negro rallado

Para acompañar

canela molida
chocolate negro medio fundido
nata montada
115 g de fresas

Preparación

❶ Precaliente el horno a 150 °C. En un cuenco grande, bata las claras a punto de nieve. Añada la sal y el crémor y siga batiendo hasta que la consistencia sea espesa. Sin dejar de batir incorpore la esencia de vainilla y el azúcar (de cucharada en cucharada), hasta que el merengue quede brillante y espeso. Debería tardar unos 3 minutos a mano y menos de 1 minuto en la batidora.

❷ Incorpore, batiendo, la canela y el chocolate rallado. Disponga el merengue espaciadamente, en montoncitos de unas 2 cucharadas, en una bandeja plana antiadherente y sin engrasar. Hornéelos durante unas 2 horas.

❸ Retire con cuidado los merengues. Si aún están blandos, hornéelos un poco más hasta que adquieran la consistencia sólida adecuada. Déjelos enfriar.

❹ Mezcle el chocolate medio fundido con la nata montada. Espolvoree los merengues con canela y sírvalos con fresas y con la mezcla de nata y chocolate.

Churros

En México, esta tentadora delicia se disfruta a cualquier hora del día: con chocolate caliente para desayunar, con café para merendar o como postre a la hora de cenar.

para 4 personas

225 ml de agua
la ralladura de 1 limón
6 cucharadas de mantequilla
1/8 de cucharadita de sal
115 g de harina
1/4 de cucharadita de canela molida y un poco más para espolvorear
1/2-1 cucharadita de esencia de vainilla
3 huevos
aceite vegetal, para freír
azúcar glas, para rebozar

Preparación

❶ Ponga el agua y la ralladura de limón en una cazuela grande. Lleve a ebullición, añada la mantequilla y la sal, y hierva unos segundos hasta que la mantequilla se derrita.

❷ Añada la harina (toda de una vez) junto con la canela y la vainilla. Retire la cazuela del fuego y remueva rápidamente, hasta que la mezcla adquiera la consistencia de un puré de patatas.

❸ Incorpore los huevos, de uno en uno, batiendo con una cuchara de madera. Siga removiendo hasta que no queden grumos.

❹ Vierta una capa de aceite de 2,5 cm en una sartén grande y honda. Caliente el aceite a 180 o 190 °C, o hasta que un dado de pan se fría en 30 segundos.

❺ Coloque la masa en una manga pastelera con una boquilla estrellada. Apriételа para hacer churros de unos 13 cm y déjelos caer directamente en el aceite, bastante espaciados entre sí, ya que al freírse se hinchan. Puede que tenga que freírlos en 2 o 3 tandas.

❻ Fría los churros 2 minutos por cada lado, o hasta que se doren. Retírelos de la sartén con una espumadera y escúrralos en papel de cocina.

❼ Rebócelos en abundante azúcar y espolvoréelos con canela. Sírvalos calientes o a temperatura ambiente.

Estrellas de buñuelo

Al cortar las tortillas en forma de estrellas, el postre gana en atractivo visual y las puntas quedan deliciosamente crujientes. Sírvalo con helado de chocolate.

para 4 personas

4 tortillas de trigo

3 cucharadas de canela molida

6-8 cucharadas de azúcar glas

aceite vegetal, para freír

Para acompañar

helado de chocolate

tiritas finas de peladura de naranja (*véase* Sugerencia pág. 82)

Preparación

1. Con un cuchillo afilado o unas tijeras de cocina, corte las tortillas en forma de estrellas.

2. Mezcle la canela y el azúcar en un cuenco y resérvelo.

3. Vierta una capa de aceite de 2,5 cm en una sartén grande y honda. Caliente el aceite a 180 o 190 °C, o hasta que un dado de pan se fría en 30 segundos. Fría las estrellas de una en una: espere a que uno de los lados se dore, dele la vuelta y dore el lado opuesto. Retire los buñuelos de la sartén con una espumadera y escúrralos en papel de cocina.

4. Espolvoree generosamente los buñuelos con la mezcla de canela y azúcar. Sírvalos con helado de chocolate y adorne el postre con tiritas de peladura de naranja.

Variación

Empape los buñuelos en un almíbar aromatizado con un poco de canela o de anís.

Margaritas

Estos cócteles convierten una calurosa tarde mexicana en algo tolerable e incluso placentero. Tomar un margarita es como beberse unas vacaciones en el Caribe.

para 2 personas

Margaritas clásicos

cáscara de lima o de limón
sal, para escarchar la copa
3 cucharadas de tequila
3 cucharadas de licor de naranja
3 cucharadas de zumo de lima
un puñado de hielo picado
tiritas finas de peladura de lima
(*véase* Sugerencia pág. 82), para adornar

Margaritas con melón

1 melón cantaloup pequeño y sabroso, pelado, despepitado y cortado en dados
varios puñados generosos de hielo
el zumo de 1 lima
100 ml de tequila
azúcar, a su gusto

Margaritas con melocotón helado

1 melocotón deshuesado, pelado, cortado en rodajas y congelado; o una cantidad equivalente de melocotón precongelado
50 ml de tequila
50 ml de licor de melocotón o de naranja
el zumo de ½ lima
1-2 cucharadas de zumo de melocotón o de naranja, si es necesario

Preparación

❶ Para preparar los margaritas clásicos, humedezca con cáscara de lima los bordes de 2 copas de cóctel y póngalas boca abajo sobre un platito con sal. Sacuda las copas para retirar el exceso de sal.

❷ Vierta el tequila en un robot de cocina con el licor, el zumo de lima y el hielo. Bátalo todo hasta que se mezcle.

❸ Si lo prefiere, puede colar la bebida antes de pasarla a las copas, con cuidado de no salpicar los bordes escarchados. Adorne con peladura de lima y sirva.

❹ Para preparar los margaritas con melón, triture la fruta en un robot de cocina hasta formar un puré. Añada el hielo, el zumo, el tequila y azúcar, y bata de nuevo hasta que no queden grumos. Sírvalo en copas de cóctel enfriadas en la nevera.

❺ Los margaritas con melocotón helado se preparan triturando la fruta congelada, el tequila, el licor y el zumo de lima en un robot de cocina hasta formar un puré espeso. Si lo es demasiado, aclárelo con un poco de zumo de melocotón. Sírvalo en copas de cóctel previamente enfriadas.

Bebidas afrutadas

Estas bebidas frescas y fragantes están repletas de los sabores tropicales de México. Refrescan y reaniman a cada sorbo.

para 4-6 personas

Refresco de coco y lima

450 ml de leche de coco (sin endulzar)
125 ml de zumo de lima recién exprimido
1 litro de zumo de frutas tropicales, p. ej. mango, papaya, guayaba o granadilla
azúcar, a su gusto
hielo picado
ramitas de menta fresca, para adornar

Sangría

1 botella de vino tinto seco con cuerpo
50 ml de licor de naranja
50 ml de brandy
225 ml de zumo de naranja
azúcar, a su gusto
1 naranja lavada
1 lima lavada
1 melocotón o 1 nectarina
½ pepino en rodajas finas
cubitos de hielo
agua mineral con gas, para dar más cuerpo

Preparación

❶ Para preparar el refresco, mezcle en un cuenco grande que no sea metálico la leche de coco, el zumo de lima, el zumo de frutas tropicales y azúcar a su gusto. Añada el hielo y bata la mezcla bien. También puede batir los ingredientes en un robot de cocina o en una batidora. Vierta el refresco en vasos altos, adórnelo con ramitas de menta y sírvalo enseguida.

❷ Para preparar la sangría, vierta el vino en una ponchera y mézclelo con el licor, el brandy, el zumo de naranja y azúcar a su gusto. Tape la ponchera y déjela enfriar en la nevera 2 horas como mínimo.

❸ Justo antes de servir la bebida, corte la naranja y el limón en rodajas a lo ancho. Parta el melocotón por la mitad, separe el hueso y corte la pulpa en rodajas.

❹ Saque la ponchera de la nevera e incorpore la fruta, el pepino y los cubitos de hielo. Añádale agua con gas para darle más cuerpo. Sirva la sangría enseguida.

Sugerencia

Para convertir el refresco de coco y lima en una bebida alcohólica, añada 2 cucharadas de ron blanco por persona. Adorne la bebida con trozos de frutas tropicales en broquetas de bambú.

Índice de recetas